RILKE

Lettres
à un jeune poète

Traduit de l'allemand par
Josette Calas et Fanette Lepetit

Postface de
Jérôme Vérain

Couverture de
Laurence Bériot

Illustrations de
Youssouf Touré

ÉDITIONS MILLE ET UNE NUITS

RILKE
n° 171

Texte intégral
Titre original :
Briefe an einen jungen Dichter

© Éditions Mille et une nuits, octobre 1997,
pour la présente édition.
ISBN : 2-84205-156-4
Achevé d'imprimer en septembre 1997,
sur papier recyclé Ricarta-Pigna par G. Canale & C. SpA (Turin, Italie)

Sommaire

RILKE

Lettres à un jeune poète

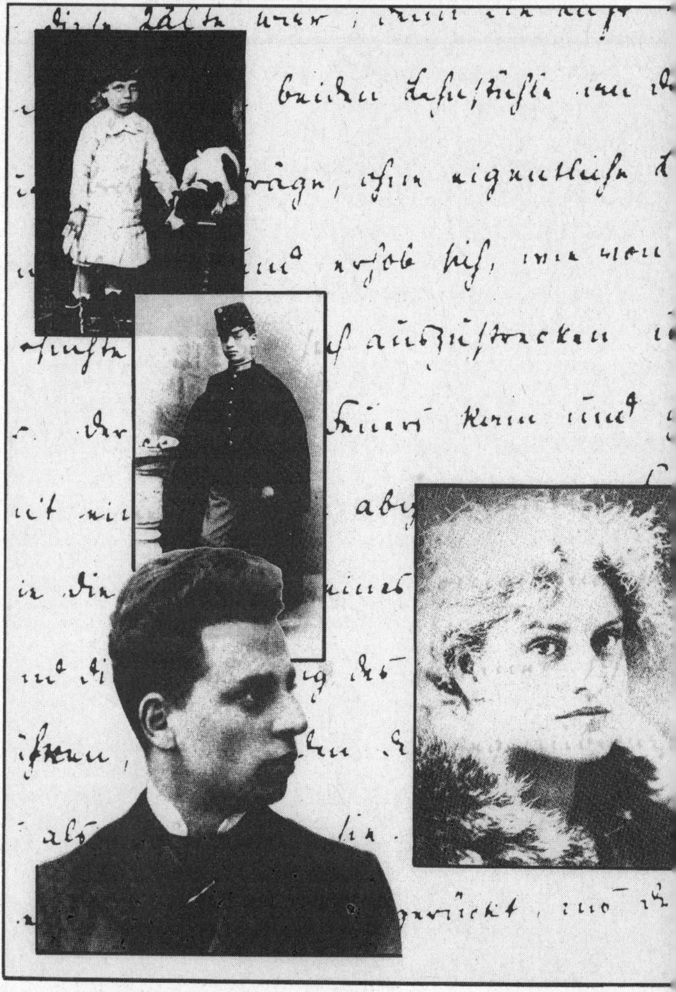

Lettres à un jeune poète

Paris, le 17 février 1903

Cher monsieur,

Votre lettre m'est parvenue voici seulement quelques jours. Je tiens à vous remercier pour la grande et chaleureuse confiance dont elle fait preuve. Je ne peux guère faire plus. Je ne peux examiner le caractère de vos vers ; car loin de moi toute intention critique. Rien ne me permet moins l'approche d'une œuvre d'art qu'un discours critique : il en résulte toujours des malentendus plus ou moins heureux. Les choses ne sont pas toutes aussi aisées à saisir et à dire qu'on voudrait nous le faire croire le plus souvent ; la plupart des événements sont inexprimables, s'accomplissent en un espace que nul mot n'aura jamais foulé, et plus inexprimables que tous sont les œuvres d'art, ces existences mystérieuses dont la vie se perpétue à côté de la nôtre, éphémère.

Cette remarque préliminaire une fois faite, permettez-moi d'ajouter que vos vers n'ayant pas de caractère propre cachent néanmoins les timides prémices d'une personnalité. C'est dans le beau poème « MON ÂME » que je le sens le plus nettement. Là, quelque chose que vous avez en propre cherche sa forme et son style. Et dans le beau poème « À LEOPARDI » grandit peut-être une sorte d'affinité avec ce prince, ce solitaire. Pour autant, vos poèmes n'existent pas encore en soi, n'ont rien d'autonome, même pas le dernier à Leopardi. Votre bonne lettre qui les accompagnait ne manque pas de m'éclairer sur certaines faiblesses que, à la lecture de vos vers, j'avais perçues sans pouvoir les désigner nommément.

Vous demandez si vos vers sont bons. Vous me le demandez à moi. Vous l'avez auparavant demandé à d'autres. Vous les adressez à des revues. Vous les comparez à d'autres poèmes. Et vous vous alarmez quand certaines rédactions refusent vos premiers essais. Alors (puisque vous m'avez autorisé à vous donner des conseils), je vous conjure de renoncer à tout cela. Vous tournez vos regards vers le dehors, et, c'est cela qu'avant toute chose vous devriez éviter désormais. Personne ne peut vous apporter aide et conseil, personne. Il n'est qu'une seule voie. Entrez en vous-même. Recherchez au plus profond de vous-même la raison qui vous impose d'écrire ; examinez si elle étend ses racines au tréfonds de votre cœur, faites-vous-en l'aveu : serait-ce la mort pour vous s'il vous était interdit d'écrire.

Surtout, demandez-vous à l'heure la plus silencieuse de votre nuit : est-ce essentiel pour moi que d'écrire ? Creusez en vous-même à la recherche d'une réponse enfouie. Et si elle devait être affirmative et si vous pouvez affronter cette grave question en y répondant par un fort et simple « pour moi, c'est essentiel », alors construisez votre vie selon cette nécessité ; votre vie jusque dans son heure la plus banale et la plus ordinaire doit devenir signe et témoignage de cet élan profond. Approchez-vous alors de la nature. Efforcez-vous alors de dire, comme si vous étiez le premier homme, ce que vous voyez, ce que vous vivez, aimez et perdez. N'écrivez pas de poèmes d'amour ; commencez par éviter ces genres trop courants et trop habituels : ce sont les plus difficiles, alors que se présentent en nombre de bonnes traditions souvent brillantes, une grande force dans toute sa maturité est nécessaire pour donner ce qu'on a en propre. Fuyez donc les grands thèmes pour ceux que vous offre votre propre quotidien ; dites vos tristesses et vos désirs, vos idées fugitives et votre foi en une beauté, quelle qu'elle soit – dites tout cela avec une sincérité profonde, sereine, humble et, pour vous exprimer, utilisez les choses qui vous entourent, les images de vos songes et les objets de vos souvenirs. Si votre quotidien vous semble pauvre, ne l'accusez pas ; accusez-vous vous-même, dites-vous que vous n'êtes pas assez poète pour en évoquer les richesses ; car pour le créateur il n'est pas de pauvreté ni de lieu pauvre et indifférent. Et seriez-vous vous-même dans une prison dont les murs ne laisseraient parvenir à vos sens aucun des bruits de ce monde, ne vous resterait-il pas votre enfance, cette richesse exquise, royale, ce Trésor de souvenirs ? C'est vers ce domaine qu'il vous faut vous tourner avec application. Tâchez de ramener à la surface les sensations englouties de ce vaste passé ; votre personnalité s'en trouvera affermie, votre solitude s'amplifiera, elle deviendra une demeure de pénombre qu'épargneront les bruits des autres. Et si de ce retour au plus profond de vous-même, de cette plongée dans votre propre monde naissent des « vers », vous n'aurez pas l'idée de demander à quelqu'un si ces « vers » sont bons. Pas plus que vous n'essaierez d'intéresser des revues à ces travaux : car vous y reconnaîtrez un bien original qui vous sera cher, une part et une voix de votre vie. Une œuvre d'art est bonne quand elle est née de la nécessité. C'est la nature de son origine qui la juge : elle seule. C'est pourquoi, cher monsieur, je n'ai pu vous donner d'autre conseil que celui-ci : entrez en vous-même et sondez les profondeurs, source de votre vie ; vous y trouverez la réponse à la question : « dois-je » créer ? Gardez-en l'esprit sans vous attacher à la lettre. Peut-être apparaîtra-t-il que vous êtes appelé à être un artiste. Acceptez alors ce destin et portez-le avec son poids et sa grandeur sans jamais attendre une récompense qui pourrait venir du dehors. Car le créateur doit être pour lui-même un monde et trouver tout en lui-même et dans la nature à laquelle il s'est uni.

Mais après cette descente en vous-même et dans la solitude de votre être, peut-être vous faudra-t-il renoncer à devenir un poète (encore une fois, il suffit de sentir qu'on pourrait vivre sans écrire pour que cela vous soit interdit). Même alors pourtant cette rentrée en vous-même que je vous demande n'aura pas été vaine. De toute façon, votre vie trouvera à partir de là ses propres chemins et qu'ils soient bons, féconds et immenses c'est ce que je vous souhaite plus que je ne saurais le dire.

Que pourrai-je ajouter ? Il me semble avoir mis l'accent sur tout ce qui importait et, tout compte fait, je n'ai vraiment tenu qu'à vous conseiller de croître au rythme de votre évolution, sereinement et gravement ; vous ne pourriez la perturber plus violemment qu'en tournant vos regards vers le dehors et en attendant du dehors une réponse aux questions auxquelles peut-être pourra seul répondre votre sentiment le plus intime, à votre heure la plus silencieuse.

Cela m'a fait plaisir de trouver dans votre lettre le nom du professeur Horaček ; j'éprouve toujours pour cet aimable savant un grand respect et une reconnaissance qui dure depuis des années. Voulez-vous, je vous prie, lui faire part de toute l'estime que j'ai pour lui.

Les vers que vous avez bien voulu me confier, je vous les rends par ce même courrier. Et je vous remercie une fois encore de votre immense et sincère confiance ; j'ai cherché par cette réponse franche, donnée du mieux que j'ai su, à m'en rendre un peu plus digne que ne l'est réellement l'inconnu que je suis pour vous.

Avec tout mon dévouement et ma sympathie.

RAINER MARIA RILKE

Viareggio près Pise (Italie),
le 5 avril 1903

Pardonnez-moi, cher monsieur, si je ne me souviens qu'aujourd'hui et avec gratitude de votre lettre du 24 février : j'ai été souffrant tous ces temps-ci, pas vraiment malade, mais accablé d'une lassitude rappelant l'influenza et qui m'a rendu incapable de quoi que ce soit. Et pour finir, en l'absence d'un quelconque changement, je suis parti au bord de cette mer du Midi dont, une fois déjà, j'ai éprouvé les bienfaits. Mais je ne suis pas encore rétabli, écrire me coûte, aussi devrez-vous prendre ces quelques lignes pour plus.

Naturellement, il faut que vous le sachiez, chacune de vos lettres me fera toujours plaisir, seulement il vous faudra être indulgent pour la réponse qui, souvent peut-être, vous laissera les mains vides ; car, au fond, et justement pour les choses les plus profondes et les plus essentielles, nous sommes indiciblement seuls. Pour se conseiller ou s'entraider, il faut bien des péripéties et bien des

13

réussites, toute une constellation d'événements est nécessaire pour un seul et unique succès.

Aujourd'hui, je voudrais ne vous parler que de deux choses, de l'ironie d'abord :

Ne vous laissez pas dominer par elle, surtout pas à vos heures stériles. À vos heures fécondes cherchez à vous en servir comme d'un moyen de plus pour saisir la vie. Employée dans toute sa pureté, elle aussi est pure et il n'y a pas à en avoir honte ; et si vous sentez qu'elle vous est par trop familière, si vous redoutez une familiarité grandissante, tournez-vous vers des thèmes grands et graves en face desquels elle devienne petite et désarmée. Cherchez la profondeur des choses : l'ironie n'y descend jamais – et si vous deviez aborder la grandeur, vérifiez en même temps si cette conception correspond à une nécessité de votre être. Car, sous l'influence des choses graves, ou bien elle se détachera de vous (si elle n'est qu'accidentelle), ou bien (pour peu que chez vous elle soit réellement innée) elle acquerra la force d'un outil précieux et prendra place dans la série des moyens à l'aide desquels vous devez former votre art.

Et la seconde chose dont je voudrais vous parler aujourd'hui est la suivante :

De tous mes livres, peu me sont indispensables, et il en est deux qui sont toujours à ma portée, où que je sois. Ici aussi je les ai près de moi : la Bible et le livre du grand poète danois Jens Peter Jacobsen. À propos, connaissez-vous ses œuvres ? Vous pouvez facilement vous les procurer, car une partie en a paru dans une excellente traduction dans la Bibliothèque universelle des éditions

Reclam. Procurez-vous le petit volume *Six Nouvelles* de J. P. Jacobsen et son roman *Niels Lyhne*, et commencez par la première nouvelle de ce petit volume, intitulée « Mogens ». Un monde va vous submerger, le bonheur, la richesse, l'insondable grandeur d'un monde. Vivez quelque temps dans ces livres, apprenez d'eux ce qui d'après vous mérite d'être appris. Cet amour vous sera rendu au centuple et, quoi que devienne votre vie, il traversera, j'en suis certain, le tissu de votre devenir comme l'un des fils raisonnables de vos expériences, de vos déceptions et de vos joies.

S'il me fallait dire de qui j'ai appris quelque chose sur la nature de la création, sur sa profondeur et son immuabilité, je ne peux citer que deux noms : celui de Jacobsen, ce grand, très grand poète, et celui d'Auguste Rodin, le sculpteur, qui n'a pas son égal parmi tous les artistes de ce temps.

Et que tous vos chemins mènent au succès !

Votre
RAINER MARIA RILKE

Viareggio, près Pise (Italie), le 23 avril 1903

Votre lettre pascale, cher monsieur, m'a fait grand plaisir ; car elle me dit beaucoup de bonnes choses sur vous et la façon dont vous parlez du précieux grand art de Jacobsen m'a montré que je ne m'étais pas trompé en orientant votre vie et ses multiples questions vers cette plénitude.

Niels Lyhne va maintenant s'ouvrir devant vous, livre de splendeurs et de profondeurs ; plus on le lit et plus il apparaît que tout y est, du parfum le plus subtil de la vie à la pleine et forte saveur de ses fruits les plus lourds. Il n'est là rien qui n'ait été compris, saisi, vécu et, à l'écho frémissant du souvenir, reconnu ; aucune expérience n'aura été insignifiante, le moindre événement s'y déroule comme un destin et le destin lui-même est pareil à un tissu, ample et magnifique, où chaque fil, tiré par une main infiniment délicate, est placé à côté d'un autre, tenu et maintenu par cent autres. Vous connaîtrez le grand bonheur de lire ce livre pour la première fois et il vous mènera de surprise en surprise, comme un rêve inédit. Mais – je puis vous le dire – plus tard aussi, c'est avec le même étonnement qu'on pénètre dans ces livres qui ne perdent rien de leur pouvoir magique et gardent tout le charme féerique dont ils comblent qui les lit pour la première fois.

On ne fait qu'en jouir de plus en plus, ils vous rendent de plus en plus reconnaissants et, d'une certaine manière, meilleurs et plus simples dans votre façon de voir, plus profonds dans votre foi en la vie et, dans la vie même, plus heureux et plus grands.

Et plus tard il vous faudra lire le merveilleux livre sur le destin et les passions de « Marie Grubbe », les lettres de Jacobsen, son *Journal*, ses *Fragments* et enfin ses vers qui (même médiocrement traduits) vivent en d'infinies résonances. (Je vous conseille pour cela d'acheter, à l'occasion, la belle édition des œuvres complètes de Jacobsen – elle contient tout cela –, elle a paru en trois volumes dans une bonne traduction chez Eugen Diedrichs à Leipzig et ne coûte – me semble-t-il – que 5 ou 6 marks le volume.)

Quant à votre jugement sur « Là eussent dû être des roses » (cette œuvre d'une finesse et d'une forme incomparables), vous avez bien sûr tout à fait raison, incontestablement raison. Et à ce propos laissez-moi vous faire cette prière : lisez le moins possible de commentaires critiques et esthétiques – ce sont ou bien des vues partisanes, sclérosées et privées de sens dans leur pétrification inerte, ou bien d'habiles jeux de mots où l'emporte aujourd'hui cette opinion et demain son contraire.

Les œuvres d'art sont d'une infinie solitude; et rien n'est moins apte à les aborder que la critique. Seul l'amour peut les saisir, les garder et leur rendre justice. C'est toujours à vous-même et à votre sentiment qu'il faut donner raison contre ce genre d'analyses, de comptes rendus ou d'introductions; quand bien même auriez-vous tort, le développement naturel de votre vie intérieure vous mènera lentement, avec le temps, à une connaissance différente. Laissez à vos jugements leur évolution propre, silencieuse, sereine; comme tout progrès, elle doit venir du fond de votre être et rien ne peut ni la presser ni la hâter. Tout est là : porter à terme, puis enfanter. Il vous faut laisser chaque impression, chaque germe de sentiment s'accomplir en vous, dans l'obscur, l'indicible, l'inconscient, le domaine inaccessible à votre propre intelligence et attendre avec une humilité et une patience profondes l'heure de la naissance d'une nouvelle clarté : cela seul est vivre pour l'art, qu'il s'agisse de comprendre ou de créer.

Le temps, ici, ne sert pas de mesure, une année, ici, est sans valeur et dix années ne sont rien; être un artiste, c'est ne pas calculer ni compter, c'est mûrir comme l'arbre qui ne presse pas sa sève et affronte tranquillement les tourmentes printanières sans craindre qu'ensuite un été puisse ne pas venir. Or il vient. Mais il ne vient que pour les patients qui, sans souci, attendent aussi tranquilles et ouverts que s'ils avaient l'éternité devant eux. Je l'apprends tous les jours, je l'apprends au prix de souffrances que je bénis : « la patience » est tout !

Richard Dehmel : il m'arrive avec ses livres (et, soit

dit en passant, aussi avec l'homme que je connais un peu) qu'après avoir découvert l'une de ses belles pages, je redoute la suivante qui puisse tout détruire et faire d'un passage admirable une horreur. Vous l'avez assez bien défini par ces mots : « vivre et créer en rut ». Et, c'est vrai, l'expérience vécue par l'artiste est en effet si incroyablement proche de l'expérience sexuelle, de ses tourments et de son plaisir que ces deux manifestations ne sont en réalité que des variantes d'un seul et même désir, d'une seule et même félicité. Et si – au lieu de « rut » – on se permettait de dire « sexe », sexe au grand sens large et pur de ce mot que n'aurait entaché nulle vision erronée de l'Église, l'art de Dehmel serait immense et d'une portée infinie. Sa puissance poétique est grande, elle a la force d'un instinct originel, elle porte en elle des rythmes effrénés qui lui sont propres, de lui elle jaillit comme un torrent des montagnes.

Mais, semble-t-il, cette puissance n'est pas toujours d'une parfaite sincérité ni à l'abri d'une certaine pose. (Or c'est bien sûr l'une des épreuves du créateur : il lui faut toujours rester inconscient et ignorant de ses meilleures qualités, s'il ne veut pas les priver de leur ingénuité et de leur virginité !) Et là où la force de Dehmel, quand l'ivresse envahit tout son être, rencontre sa sexualité, elle ne trouve pas en lui un homme aussi pur qu'il le lui faudrait. Il y a là un monde sexuel qui n'est pas tout à fait mûr, ni pur, un monde qui n'est pas assez « humain », qui n'est que « mâle », rut, ivresse et tourment, accablé de vieux préjugés et de vanités dont le mâle s'est servi pour défigurer et accabler l'amour.

Comme il aime « seulement » en qualité de mâle et non pas d'être humain, sa sexualité a quelque chose d'étriqué, d'apparemment sauvage, de haineux, de passager, de non éternel qui rabaisse son art, le rendant ambigu et suspect. Cet art n'est pas sans taches, il porte la marque du temps et de la passion, il n'en restera et n'en survivra que peu de choses. (N'en va-t-il pas ainsi de presque toute œuvre d'art ?) N'empêche qu'on peut prendre un réel plaisir à ce qu'elle a de grand, seulement il ne faut pas s'y perdre ni devenir un adepte de cet univers de Dehmel, tellement en proie à l'adultère et au désordre et si éloigné des destins qui font plus souffrir que ces afflictions passagères, mais offrent aussi plus d'occasions de grandeur et plus de courage pour entrer dans l'éternité.

Quant à mes livres, enfin, j'aurais aimé vous envoyer tous ceux qui pourraient vous faire quelque plaisir. Mais je suis très pauvre et mes livres, à peine parus, ne m'appartiennent plus. Je ne peux même pas les acheter ni, comme j'aimerais si souvent le faire, les offrir à ceux qui leur témoigneraient un profond intérêt.

C'est pourquoi je vous écris sur une feuille les titres (et les éditeurs) de mes livres tout récemment parus (les derniers, car j'ai dû en publier en tout douze ou treize) et je ne peux, cher monsieur, que vous laisser le soin d'en commander quelques-uns à l'occasion.

Savoir mes livres chez vous me fait plaisir.

Bien à vous !
RAINER MARIA RILKE

Durant un séjour à Worpswede, près Brême,
le 16 juillet 1903

Il y a une dizaine de jours, j'ai quitté Paris, passable-
ment souffrant et fatigué et je suis arrivé dans une
grande plaine du Nord dont l'étendue, le calme et le ciel
ne manqueront pas de me rétablir. Mais je suis entré
dans une longue pluie qui aujourd'hui enfin laisse entre-
voir une embellie au-dessus de la campagne où souffle
un vent d'inquiétude ; et je profite de ce premier moment
d'éclaircie pour vous saluer, cher monsieur.

Très cher monsieur Kappus, j'ai longtemps laissé sans
réponse une lettre de vous, non que je l'aie oubliée – bien
au contraire : elle est de celles que l'on relit quand on les
retrouve parmi d'autres et je vous y ai reconnu comme si
vous étiez tout proche de moi. C'était votre lettre du
2 mai dont vous vous souvenez sûrement. Quand je la
lis aujourd'hui dans le grand calme de ces lointains,
votre beau souci de la vie m'émeut plus encore que je ne
l'avais ressenti à Paris où tout a une autre résonance qui

s'évanouit dans l'énorme fracas où les choses frémissent. Ici où m'environne une terre puissante parcourue par les vents des mers, ici je sens qu'à ces graves questions et sentiments qui ont dans leur tréfonds une vie propre, personne nulle part ne saurait répondre ; car même les meilleurs s'égarent dans leurs mots destinés à exprimer les nuances les plus subtiles, ineffables presque. Mais je crois malgré tout que vous n'êtes pas condamné à rester sans solution si vous vous en tenez à des choses proches de celles qui réconfortent mes yeux. Si vous vous en tenez à la nature, à ce qu'il y a de simple en elle, de petit qui passe presque inaperçu et soudain peut se révéler grand et incommensurable, si votre amour vaut pour l'infime et si, avec l'humilité d'un serviteur, vous cherchez à gagner la confiance de ce qui paraît pauvre – alors tout vous deviendra plus facile, plus cohérent, pour ainsi dire plus réconciliateur, non pas pour votre entendement qui, étonné, ne suit pas, mais au plus profond de votre être conscient, éveillé, qui sait. Vous êtes si jeune, tellement à l'aube de tout commencement et je voudrais, cher monsieur, vous prier de mon mieux de vous montrer patient devant tout ce que votre cœur n'a pas résolu, de chercher à aimer vos questions elles-mêmes comme des pièces closes, comme des livres écrits en une langue très étrangère. N'allez pas maintenant à la recherche de réponses qui ne peuvent pas vous être apportées, car vous ne sauriez pas les vivre. Or il s'agit de vivre tout. Pour l'instant, vivez vos questions. Peut-être qu'un jour, un jour lointain, votre vie vous fera insensiblement, à votre insu, entrer dans la réponse. Il se peut que vous portiez en vous le don de créer, de former, mode de vie particulièrement heureux et pur ; faites-en le principe de votre éducation personnelle – mais accueillez en toute confiance ce qui vient, et pour peu que cela vienne de votre volonté, d'un appel au secours de votre être, acceptez-le sans rien haïr. Le sexe est chose grave, certes. Mais grave est tout ce qui nous a été imposé, presque tout ce qui est sérieux est grave, or tout est sérieux. Une fois que vous aurez reconnu cela et réussi à établir un rapport avec le sexe qui vous soit tout à fait personnel (dégagé de toute influence, des conventions et des mœurs), à partir de vous-même, de votre caractère et de votre nature, à partir d'une expérience, d'une enfance et d'une force qui vous soient propres, vous n'aurez plus alors à craindre de vous perdre et de vous rendre indigne de votre bien le plus précieux.

La volupté de la chair est une expérience des sens comparable au pur regard ou à la pure sensation qu'exhale un beau fruit sur la langue ; elle est une grande expérience, sans limites, qui nous est donnée, une connaissance du monde, la connaissance dans toute sa plénitude et sa splendeur. L'accueillir n'est pas ce qu'il a de mal ; ce qu'il a de mal, c'est que la plupart fassent un mauvais usage de cette expérience, la galvaudent et la transforment en un excitant pour les moments de lassitude de leur vie et en distraction au lieu d'un recueillement qui vous mène aux sommets. Les hommes, c'est vrai, ont fait de la nourriture tout autre chose : d'une part la pénurie, de l'autre la surabondance ont terni la clarté de ce besoin et se sont pareillement ternis tous les besoins naturels, simples et profonds en lesquels la vie se renouvelle. Mais chacun individuellement peut, pour soi-même, les clarifier et les vivre clairement (et sinon l'individu trop indépendant, du moins le solitaire). Il peut se souvenir que chez les animaux et les plantes toute beauté est une forme muette, durable de l'amour et du désir ; il peut voir les animaux comme il voit les plantes s'unir, se multiplier et croître avec patience et docilité, non par plaisir physique ni par souffrance physique, mais en cédant à des nécessités qui dépassent plaisir et souffrance et l'emportent sur la volonté et la résistance. Puisse l'homme accueillir avec plus d'humilité ce mystère dont la terre est pleine jusque dans ses moindres choses, puisse-t-il le porter, le supporter avec plus de gravité et sentir combien il est terriblement lourd, au lieu de le prendre à la légère. Puisse-t-il être respectueux de sa fécondité qui est « une », qu'elle paraisse relever de l'esprit ou du corps ; car la création de l'esprit procède de la création physique, est de la même essence, rien de plus qu'une répétition de la volupté charnelle, plus dis-crète, plus extatique et plus éternelle. La pensée d'être un créateur qui engendre et donne forme n'est rien si elle ne trouve constamment dans le monde sa grande confir-mation, sa réalisation et l'approbation mille fois repro-duite des choses et des animaux – et la jouissance éma-nant de cette pensée n'est aussi indiciblement belle et riche que parce qu'elle est pleine des souvenirs légués par les procréations et les enfantements de millions d'êtres. Dans une seule pensée créatrice revivent mille nuits d'amour oubliées qui lui confèrent grandeur et sublimité.

Et ceux qui, au cours des nuits, s'unissent et s'enlacent, bercés par la volupté, accomplissent une œuvre grave, ils font provision de douceurs, de profondeur et de force pour le chant d'un poète à venir qui se lèvera pour dire d'indicibles délices. Et ils appellent l'avenir ; quels que soient leurs errements et quelque aveugles que soient leurs étreintes, l'avenir n'en vient pas moins, un homme nouveau se lève, et sur fond de hasard – il semble avoir joué ici – s'éveille la loi qui veut qu'une semence résistante, puissante se fraie un chemin jusqu'à l'ovule qui, ouvert, vient à son devant. Ne vous laissez pas tromper par l'apparence ; dans la profondeur tout devient loi. Et ceux qui vivent mal ce mystère, sans le percer, et ils sont nombreux, ne le perdent que pour eux-mêmes et ne le transmettent pas moins aux autres, sans le savoir, telle une lettre cachetée. Ne vous laissez pas égarer par la multiplicité des noms et la complexité des cas. Peut-être règne-t-il là une grande maternité, un commun désir. La beauté de la vierge, cet être « qui (comme vous l'écrivez si joliment) n'a encore rien accompli » est maternité faite de pressentiment, de disposition, de crainte et de désir. C'est la maternité accomplie qui fait la beauté de la mère, et reste un grand souvenir pour la vieille femme. Chez l'homme aussi il y a maternité, me semble-t-il, charnelle et spirituelle ; procréer est chez lui une manière d'enfanter et il enfante quand, de sa plus interne plénitude, il crée. Et les sexes sont peut-être plus parents qu'on ne le croit et le grand renouvellement du monde consistera peut-être en ce que l'homme et la jeune fille, libérés de tous leurs errements et de toutes leurs répugnances, ne se rechercheront pas comme des contraires mais comme frère et sœur, comme des proches, ils s'uniront en tant qu'êtres humains pour porter ensemble avec simplicité, gravité et patience le poids du sexe qui leur aura été imposé.

Tout ce qui un jour sera peut-être possible à nombre d'hommes, le solitaire peut dès à présent le préparer et l'édifier de ses mains qui se trompent moins. Aussi, cher monsieur, aimez votre solitude et supportez la douleur qu'elle vous cause en faisant bellement chanter vos plaintes. Car vos proches sont lointains, dites-vous, preuve qu'autour de vous l'espace s'agrandit. Et si ce qui vous est proche est lointain, c'est que votre espace, immense, touche déjà les étoiles ; réjouissez-vous de votre croissance où, certes, vous ne pouvez emmener personne, soyez bon envers ceux qui restent en arrière, soyez sûr de vous et tranquille en face d'eux, ne les tourmentez pas de vos doutes et ne les effrayez pas de vos certitudes et de vos joies qu'ils ne sauraient comprendre. Avec eux cherchez un lien possible de solidarité, naïf et fidèle, qui ne devra pas nécessairement se modifier quand vous-même vous ne cesserez pas de vous modifier ; aimez en eux la vie sous une forme étrangère et ayez de l'indulgence pour ces êtres prenant de l'âge qui redoutent cette solitude en laquelle vous, vous mettez votre confiance. Évitez d'entretenir ce drame toujours menaçant entre parents et enfants ; il use tant la force des enfants et consume l'amour efficace et chaleureux de la vieille génération, quand bien même il ne comprend pas. Ne demandez pas de conseil aux anciens et ne comptez pas en être compris ; mais croyez en un amour qui vous est réservé comme un héritage et soyez assuré que dans cet amour il y a une force et une bénédiction que vous n'aurez pas à rejeter pour continuer votre vaste chemin !

Il est bien que vous commenciez par embrasser une carrière qui assure l'indépendance et vous donne une totale autonomie à tous points de vue. Attendez patiemment de savoir si votre vie la plus intime se sent à l'étroit dans le cadre de cette profession. Je la tiens pour très difficile et très exigeante, car elle est alourdie par d'importantes conventions et ne laisse guère de place à une conception personnelle de ses devoirs. Mais votre solitude, même au cœur de conditions tout à fait inconnues de vous, vous sera soutien et foyer et vous y découvrirez toutes vos voies. Tous mes souhaits vous accompagnent ainsi que ma confiance.

Votre
RAINER MARIA RILKE

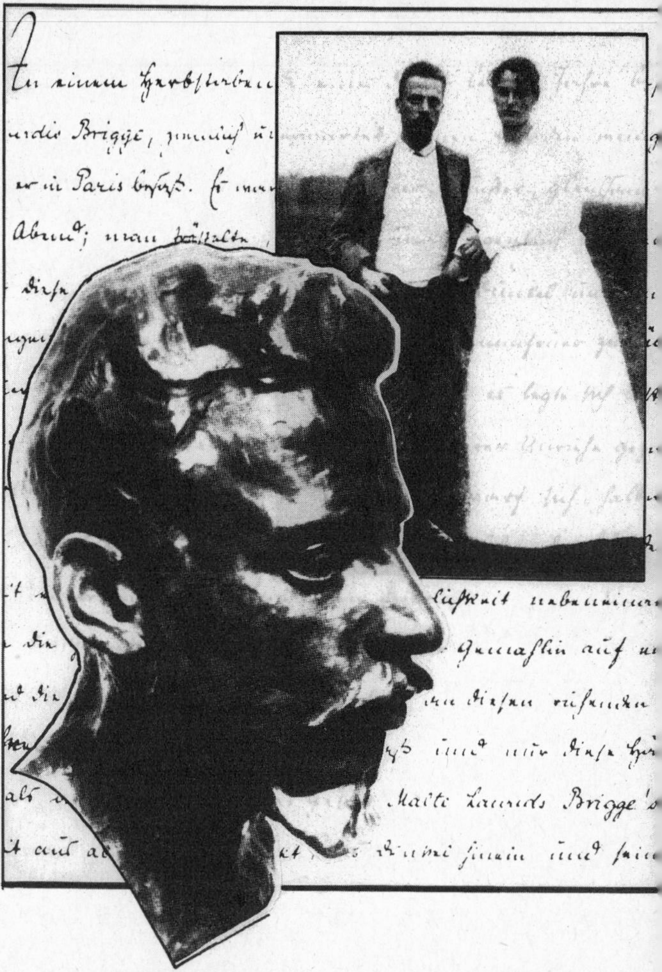
Malte Laurids Brigge

Rome, le 29 octobre 1903

Cher monsieur,

J'ai reçu votre lettre du 29 août à Florence et deux mois après seulement je viens vous en parler. Il faut me pardonner cette négligence – à vrai dire je n'aime guère écrire de lettres en voyage, car pour les écrire il me faut plus que le matériel indispensable ; un peu de silence, de solitude et un moment qui ne soit pas trop insolite.

Nous sommes arrivés à Rome il y a environ six semaines en une saison où c'était encore la Rome déserte, brûlante que les fièvres discréditaient, cette circonstance s'ajoutant à d'autres difficultés pratiques d'installation a fait que l'agitation autour de nous n'en finissait pas et qu'au poids du dépaysement s'ajoutait celui de l'éloignement de notre terre natale. Sans compter que Rome (quand on ne la connaît pas encore) vous plonge les premiers jours dans une tristesse accablante : elle tient à l'atmosphère figée, mélancolique de musée qui en émane, à l'abondance de ses passés remis au jour et péniblement conservés (un médiocre présent s'en nourrit), à l'indicible surestimation de toutes ces choses altérées et dénaturées qu'encouragent savants et philologues et qu'imitent les voyageurs traditionnels en Italie ; elles ne sont pourtant au fond que les vestiges fortuits d'un autre temps et d'une autre vie qui n'est pas la nôtre et n'a pas à être la nôtre. Enfin, après avoir été pendant des semaines, jour après jour, sur la défensive, on se retrouve et on se dit : non, il n'y a pas ici plus de beauté qu'ailleurs et tous ces objets admirés par des générations successives, que des manœuvres ont améliorés et restaurés, ne signifient rien, ne sont rien, n'ont ni cœur ni valeur – mais s'il y a beaucoup de beauté ici, c'est que partout il y a beaucoup de beauté… Des eaux pleines d'une vie infinie arrivent à la ville par les antiques aqueducs et sur ses nombreuses places dansent dans des vasques de pierre blanche, elles se répandent dans de larges et vastes bassins, elles murmurent le jour et font monter leur murmure dans la nuit qui est ici majestueuse, étoilée et douce au souffle des vents. Il y a ici des jardins, des allées et des escaliers inoubliables, escaliers conçus par Michel-Ange, escaliers bâtis à l'image des eaux qui s'écoulent en une ample chute, faisant naître chaque marche d'une autre marche comme une vague d'une autre vague. Grâce à de telles impressions on se reprend, on se ressaisit en se libérant de cette abondance envahissante qui vous parle et bavarde (et comme elle est loquace !) et l'on apprend lentement à reconnaître les très rares choses où durent l'éternité qu'on peut aimer et la solitude à laquelle on peut prendre part en silence.

J'habite encore en ville sur le Capitole, non loin de la plus belle statue équestre que nous ait léguée l'art romain – celle de Marc-Aurèle ; mais, dans quelques semaines, j'irai m'installer au dernier étage d'une vieille maison simple et tranquille avec terrasse, perdue tout au fond d'un grand parc, à l'abri de la ville, de ses rumeurs et de ses hasards. J'y habiterai tout l'hiver et jouirai du grand silence dont j'attends qu'il me comble d'heures bonnes et profitables...

De là-bas où je me sentirai davantage chez moi je vous enverrai une plus longue lettre où je reviendrai sur la vôtre. Aujourd'hui, il me faut seulement vous dire (et j'ai peut-être eu tort de ne pas l'avoir fait plus tôt) que le livre annoncé par votre lettre ne m'est pas parvenu. Vous aurait-il été renvoyé, de Worpswede peut-être ? (En effet, on n'est pas autorisés à faire suivre les paquets à l'étranger.) Cette éventualité est la plus favorable et j'aimerais en avoir confirmation. J'espère que ce livre ne s'est pas égaré – car ce n'est pas exceptionnel, étant donné la situation de la poste en Italie – malheureusement.

J'aurais bien aimé recevoir ce livre aussi (comme tout ce qui m'apporte un signe de vous) et les vers que vous aurez écrits entre-temps je les lirai (si vous me les confiez), je les relirai et les vivrai aussi bien et aussi chaleureusement que je le puis.

Avec mes vœux cordiaux.

Votre
RAINER MARIA RILKE

Rome, le 23 décembre 1903

Mon cher monsieur Kappus,

Vous ne devez pas rester sans un signe de moi à
l'approche de Noël, si dans cette période de fête votre
solitude est encore plus lourde à porter que d'ordinaire.
Mais si vous sentez alors qu'elle est grande, réjouissez-
vous-en ; car (posez-vous la question) que serait une solitude qui n'aurait pas de grandeur ; il n'y a qu'« une »
solitude et elle est grande et elle n'est pas facile à porter
et presque tous connaissent ces heures où ils aimeraient
bien l'échanger contre un quelconque contact si banal
soit-il, contre l'illusion d'une piètre entente avec le premier venu, avec le plus indigne... Mais ces heures-là sont
peut-être justement celles où croît la solitude, car sa
croissance est aussi douloureuse que celle des petits gar-
çons et aussi triste que les débuts du printemps. Mais que
cela ne vous trouble pas. Seule est nécessaire la solitude :
une grande solitude intérieure. Rentrer en soi-même et,

des heures durant, ne rencontrer personne – voilà ce à quoi on doit pouvoir parvenir. Être solitaire comme, enfant, on a été solitaire quand les adultes allaient et venaient, pris dans l'entrelac de choses qui leur paraissaient importantes et sérieuses parce que les grandes personnes avaient l'air si affairées et qu'on ne comprenait rien à leurs affaires.

Et le jour où l'on s'aperçoit que leurs besognes sont pitoyables, leurs métiers figés et coupés de liens avec la vie, pourquoi alors ne pas continuer, comme le fait un enfant, à les considérer comme un élément étranger, du fond de son propre univers, de l'immensité de sa propre solitude qui à elle seule est travail, qualification et métier ? Pourquoi vouloir échanger la sagesse qu'il y a chez l'enfant à ne pas comprendre contre le refus et le mépris, alors que ne pas comprendre, c'est être seul, et qu'au contraire refus et mépris vous font participer à cela même avec quoi ils voudraient vous aider à rompre.

Pensez, cher monsieur, au monde que vous portez en vous, donnez à cette pensée le nom de votre choix, qu'il s'agisse du souvenir de votre propre enfance ou de l'attente fiévreuse de votre propre futur – ne prêtez attention qu'à ce qui se lève en vous et placez-le au-dessus de tout ce que vous observez autour de vous. C'est ce qui se développe dans votre intimité qui mérite tout votre amour, il vous faut y travailler d'une certaine façon, mais sans perdre trop de temps et de courage à éclairer vos rapports avec les autres – qui vous dit du reste que vous en ayez ? – je sais, votre métier est dur et vous met en désaccord avec vous-même, j'avais prévu vos plaintes et savais qu'elles viendraient. Maintenant qu'elles sont là, je suis incapable de les apaiser, tout ce que je puis, c'est vous conseiller de vous demander si tous les métiers ne sont pas ainsi, pleins d'exigences, pleins d'hostilité envers l'individu, comme gorgés de la haine de ceux qui, muets et pleins de hargne, se sont résignés à l'insipidité de leur devoir. La condition qu'il vous faut maintenant assumer n'est pas plus lourdement chargée de conventions, de préjugés et d'erreurs que toutes les autres conditions et s'il en est certaines qui laissent croire à une plus grande liberté, il n'en est cependant aucune qui, vaste et spacieuse par elle-même, ait un rapport avec les grandes choses dont est faite la vraie vie. Seul l'homme de solitude est comme une chose soumise aux lois profondes et quand l'un de ces hommes s'en va dans le jour qui se lève ou contemple le soir chargé d'accomplissements, et qu'il sent ce qui se réalise là, il se dépouille alors, tel un mort, de toute condition bien qu'il soit au cœur de la vie. Quant à vos expériences actuelles d'officier, cher monsieur Kappus, vous auriez eu de semblables impressions dans tous les autres métiers, oui, certes, même si, en dehors de toute position sociale, vous aviez cherché à n'avoir que des contacts faciles, en toute indépendance, ce sentiment d'oppression ne vous aurait pas été épargné. Il en va de même partout ; mais ce n'est pas une raison d'être inquiet ou triste ; s'il n'y a pas de point commun entre les hommes et vous, essayez d'être proche des choses qui, elles, ne vous abandonneront pas ; il y aura toujours des nuits et les vents qui font frissonner les arbres et parcourent tant de pays ;

dans le monde des choses et des bêtes il se passera encore tant d'événements auxquels vous pourrez prendre part ; et il y aura toujours les enfants pour être aussi tristes et heureux que vous l'avez été enfant – et quand vous penserez à votre enfance vous vivrez à nouveau parmi eux, parmi les enfants solitaires, et les adultes ne seront rien, et leur dignité sera sans valeur.

Et si vous éprouvez angoisses et tourments en pensant à votre enfance et à la simplicité et à la tranquillité qui lui sont propres parce que vous ne pouvez plus croire en Dieu qui partout y est présent, demandez-vous alors, cher monsieur Kappus, si vous avez réellement perdu Dieu. N'est-ce pas plutôt que vous ne l'avez encore jamais possédé ? Quand donc, en effet, l'auriez-vous jamais possédé ? Croyez-vous qu'un enfant puisse le tenir, lui que des hommes mûrs ne portent qu'avec peine et dont le poids écrase les vieillards ? Croyez-vous que celui qui le possède réellement puisse le perdre comme un petit caillou, ou bien ne pensez-vous pas plutôt que celui qui le possèderait pourrait tout au plus n'être perdu que par lui ? Mais si vous reconnaissez qu'il n'était pas dans votre enfance, ni non plus avant, si vous pressentez que le Christ a été dupé par sa soif d'amour et Mahomet trompé par son orgueil – et si vous sentez avec effroi qu'à cette heure où nous parlons de lui il n'est pas là non plus – qu'est-ce qui vous autorise à le regretter et à le rechercher comme un disparu, comme s'il était perdu, lui qui jamais ne fut ?

Pourquoi ne pensez-vous pas qu'il est celui qui viendra, qui doit venir de toute éternité, qui est le Fruit, le fruit accompli d'un arbre dont nous sommes les feuilles ? Qu'est-ce qui vous empêche de projeter sa naissance dans les temps à venir et de vivre votre vie comme une belle journée douloureuse dans l'histoire d'une incomparable grossesse ? Ne croyez-vous donc pas que tout ce qui arrive est toujours commencement et ne pourrait-ce pas être Son commencement à lui, tout début étant en soi toujours si beau ? S'il est lui-même le plus parfait, ne doit-il pas y avoir avant lui de moindres accomplissements afin qu'il puisse se montrer l'Élu né de la plénitude et de l'abondance ? Ne lui faut-il pas être l'Ultime pour tout contenir en lui, et quel sens aurait notre quête si avait déjà existé celui que nous recherchons ?

De même que les abeilles butinent, ainsi nous puisons en toutes choses leur plus douce substance et nous Le construisons. Nous commençons même par l'insignifiant, l'anodin (pour peu que l'amour le suscite), par le travail suivi de repos, par un silence ou un instant de joie intime, par tout ce que nous faisons seuls, sans que d'autres y participent ou y adhèrent, nous Le commençons, Lui que nous ne connaîtrons pas dans notre vie, pas plus que nos ancêtres n'ont pu nous connaître dans leur vie. Et pourtant ces êtres disparus depuis longtemps sont en nous, prédispositions, charges pesant sur notre destin, bouillonnements dans notre sang, geste qui remonte des profondeurs du temps.

Existe-t-il quelque chose qui puisse vous priver de l'espoir d'être un jour en Lui, au-delà de toute limite, dans l'absolu ?

Fêtez Noël, cher monsieur Kappus, dans ce pieux

sentiment : peut-être a-t-il besoin, Lui, pour commencer, de votre angoisse devant la vie; ces jours de transition que vous connaissez sont peut-être justement le temps où tout en vous travaille à Son édification comme déjà autrefois vous y avez travaillé, enfant, à perdre haleine. Soyez patient, sans esprit d'indépendance; pensez que le moins que nous puissions faire est de ne pas Lui rendre le devenir plus difficile que la terre ne le rend au printemps quand il veut venir.

Soyez joyeux et confiant.

Votre
RAINER MARIA RILKE

Rome, le 14 mai 1904

Mon cher monsieur Kappus,

Un long temps s'est écoulé depuis que j'ai reçu votre
dernière lettre. Ne m'en veuillez pas ; ce sont d'abord le
travail puis des contretemps et enfin un état de santé
médiocre qui m'ont chaque fois empêché de vous écrire,
car je tenais à ce que ma réponse vous vînt de jours pai-
sibles et bons. À présent, je me sens à nouveau un peu
mieux (le début du printemps avec ses méchantes sautes
d'humeur s'est ici durement fait sentir) et je viens, cher
monsieur Kappus, vous saluer et de mon mieux vous
transmettre (ce que je fais de tout cœur) quelques
remarques en réponse à votre lettre.

Vous voyez : j'ai recopié votre sonnet, car je l'ai trouvé
beau et simple et né dans une forme où il se présente
avec tant de calme décence. Ce sont les meilleurs vers de
vous qu'il m'ait été donné de lire. Et aujourd'hui je vous
offre cette copie sachant combien il est important et riche

d'expérience nouvelle que de retrouver son propre travail écrit par un autre. Lisez ces vers comme s'ils étaient d'un autre et vous sentirez au fond de vous-même combien ils sont vôtres.

Ç'aura été pour moi une joie de relire souvent ce sonnet et votre lettre, je vous remercie pour l'un et pour l'autre.

Ne vous laissez pas troubler dans votre solitude parce qu'il y a en vous comme un désir de vous en échapper. Ce désir justement, pour peu que vous l'utilisiez avec calme, réflexion et comme un instrument, vous aidera à déployer votre solitude sur une vaste contrée. Les gens (grâce à des conventions) ont pour tout choisi la solution de facilité et l'aspect le plus facile du facile ; or il est clair que nous devons nous en tenir au difficile ; tout ce qui vit s'y tient, tout dans la nature croît et se défend selon son mode, tire de soi-même sa propre essence, cherche à l'incarner à tout prix et contre tout obstacle. Nous savons peu de choses, mais qu'il nous faille nous en tenir au difficile est une certitude qui ne doit pas nous quitter ; il est bon d'être solitaire, car la solitude est difficile ; qu'une chose soit difficile doit nous être une raison de plus de la faire.

Il est bon aussi d'aimer : car l'amour est difficile. L'amour d'un être humain pour un autre est peut-être le plus difficile qui nous soit imposé, l'absolu, l'ultime épreuve, l'ultime probation, le travail dont tout autre travail n'est que préparation. C'est pourquoi les êtres jeunes qui sont en toute chose des débutants sont encore « incapables » d'amour : ils doivent l'apprendre. De tout leur être, de toutes leurs forces rassemblées autour de leur cœur qui bat solitaire, anxieux, ils doivent apprendre à aimer. Mais le temps d'apprendre est toujours un long temps de claustration, aussi l'amour est-il pour longtemps ajourné et repoussé au cœur de la vie : solitude, esseulement sublimé et approfondi pour qui aime. L'amour n'est pour commencer rien qui signifie se fondre, se donner et s'unir à un autre (car ce serait l'union de deux êtres indéterminés, inachevés, encore inassimilés), c'est pour l'individu une occasion sublime de mûrir, de devenir un être en soi, de devenir un monde, de devenir monde pour soi et pour l'amour d'un autre, c'est pour lui une haute et fière exigence, quelque chose qui fait de lui un élu et l'appelle vers de grands horizons. Dans ce sens seulement, dans l'obligation de faire un travail sur eux-mêmes (« tendre l'oreille et marteler jour et nuit »), des jeunes gens devraient se servir de l'amour qui leur est donné. Se fondre, se donner et toute forme d'union n'est pas pour eux (il leur faut encore longtemps, longtemps thésauriser et amasser), c'est l'achèvement, c'est peut-être ce à quoi, encore maintenant, une vie humaine suffit à peine.

Or c'est là l'erreur si fréquente et si grave des jeunes gens : il est dans leur nature de n'avoir pas de patience et donc ils se précipitent l'un vers l'autre quand ils rencontrent l'amour, ils s'épanchent tels qu'ils sont dans toute leur morosité, leur trouble, leur confusion… Mais à quoi cela va-t-il les mener ? Que fera la vie de cette accumulation d'éléments presque voués au naufrage qu'ils appellent leur union, ils voudraient bien l'appeler leur bonheur, si c'était possible, et leur avenir. Chacun alors se perd pour l'amour de l'autre et chacun perd les vastes perspectives et leurs potentialités, échange la venue et la fuite des choses silencieuses, pleines de promesses contre une irrésolution stérile d'où plus rien ne peut venir, rien qu'un peu de dégoût, de désillusion et de pauvreté : plus d'autre refuge que dans l'une des multiples conventions qui, tels des abris publics, jalonnent abondamment ce chemin des plus périlleux. Nulle région de l'expérience vécue par l'homme n'est aussi pourvue de conventions que celle-ci : ceintures de sauvetage, canots et bouées nés de l'imagination la plus fertile, la société conformément à ses conceptions a su créer toutes sortes de refuges, car comme elle tendait à prendre la vie amoureuse pour un plaisir, il lui a donc fallu la rendre facile, sans frais ni danger ni risque, comme sont les plaisirs pour tous.

Il est vrai, bien des êtres jeunes qui aiment mal, c'est-à-dire s'abandonnent tout simplement et renoncent à leur solitude (ce sera toujours le sort de la moyenne) se sentent écrasés par une erreur et ils veulent, à leur manière bien à eux, rendre vivable et fécond l'état dans lequel ils sont tombés ; leur nature leur dit en effet que les problèmes de l'amour, moins encore que tout ce qui importe par ailleurs, ne peuvent être résolus pour une généralité non plus que selon telle ou telle entente ; ils sentent qu'il y a là des problèmes, des problèmes intimes entre êtres humains qui appellent une réponse inédite, particulière à chaque cas, strictement personnelle : mais eux qui déjà se sont étreints sans plus pouvoir maintenir leurs limites et leurs différences, qui donc n'ont plus rien en propre, comment pourraient-ils trouver en eux-mêmes une échappatoire pour sortir du fond de leur solitude déjà sous les décombres ?

Leur commune détresse les fait agir et quand ils veulent ensuite, avec les meilleures intentions, fuir la convention qui leur semble évidente (le mariage, par exemple), ils tombent dans les griffes d'une solution conventionnelle, moins manifeste mais tout autant mortelle ; car ils ne sont environnés que de conventions ; là où une union trouble née d'une précoce confluence est source d'action, toute action est conventionnelle : toute action qu'amène pareille confusion comporte sa convention si inusuelle qu'elle soit (c'est-à-dire, au sens courant, immorale) ; en vérité, la rupture même serait une démarche conventionnelle, une décision fortuite, impersonnelle, sans force et sans fruit.

Pour qui jette un regard empreint de sérieux, tout comme la mort qui est difficile, le difficile amour n'a connu ni lumière, ni solution, ni signe, ni voie, et pour ces deux épreuves que nous portons au fond de nous et que nous transmettons sans les révéler, on ne pourra donner de règle générale fondée sur un accord. Mais dans la mesure où nous commencerons à tenter de vivre individuellement, ces grandes choses s'approcheront plus près de nous, individus. Les exigences qu'impose à notre évolution le difficile travail d'amour ne sont pas à la mesure d'une vie et les néophytes que nous sommes sont incapables d'y faire face. Mais si à force de ténacité nous assumons cet amour comme une charge et un apprentissage au lieu de nous perdre aux jeux faciles et frivoles derrière lesquels les hommes se sont abrités pour échapper à la plus grave des gravités de leur existence – alors peut-être un petit progrès et un certain allégement se feront sentir à ceux qui viendront longtemps après nous ; ce serait beaucoup.

Il est vrai, à peine commençons-nous à considérer les rapports d'un individu avec un second sans préjugés, avec objectivité et à nos efforts pour vivre une telle relation manquent des exemples à suivre. Pourtant l'évolution de notre époque paraît vouloir nous aider dans nos timides initiatives.

La jeune fille et la femme, dans l'épanouissement actuel qui est le leur, n'imiteront qu'un temps les bonnes et les mauvaises manières des hommes et n'adopteront qu'un temps leurs métiers. Une fois passées ces périodes transitoires incertaines, on constatera que pour les femmes ces multiples changements de déguisements (souvent ridicules) n'auront été qu'une étape pour purifier leur nature la plus authentique des influences de l'autre sexe qui la défiguraient. Les femmes, réceptacles durables d'une vie plus immédiate, plus féconde et plus confiante doivent bien, au fond, être devenues des êtres plus mûrs, des êtres humains plus humains que l'homme : lui, léger, jamais entraîné dans les profondeurs de la vie par le poids du fruit de ses entrailles, dans sa prétention et sa hâte sous-estime ce qu'il croit aimer. Cette humanité que la femme a portée à terme dans la douleur et l'humiliation se révélera le jour où, en modifiant sa situation extérieure, elle se sera dépouillée des conventions de sa seule féminité, et les hommes, qui aujourd'hui encore ne le voient pas venir, en resteront surpris et abattus. Un jour (à présent, particulièrement dans les pays nordiques, des signes indéniables en sont déjà la manifestation éclatante), un jour seront là la jeune fille et la femme dont le nom ne marquera plus seulement l'opposition au masculin, et aura une signification propre, qui n'évoquera ni complément ni frontière, simplement vie et existence : l'être humain dans sa féminité.

Ce progrès transformera l'expérience amoureuse, actuellement pleine d'errements (et ce pour commencer, en dépit de la volonté des hommes dépassés), il la modifiera de fond en comble et il en fera une relation d'un être humain avec un autre et non pas d'un homme avec une femme. Et cet amour plus humain (qui se réalisera avec infiniment plus d'égards et de délicatesse, de bonté et de lucidité dans les liens noués et dénoués) sera assez semblable à celui que nous préparons en luttant rudement, à cet amour où deux solitudes se protègent, se limitent et s'estiment.

Ceci encore : ne croyez pas que ce grand amour que, petit garçon, vous avez connu, ait été perdu ; êtes-vous sûr qu'à cette époque n'ont pas mûri en vous de grands et bons désirs, et des projets dont vous vivez aujourd'hui encore ? Je crois que si cet amour reste aussi fort et puissant dans votre souvenir, c'est que vous avez été alors pour la première fois profondément seul et que pour la première fois vous avez fait pour votre vie ce travail intérieur.

Recevez tous mes bons vœux, cher monsieur Kappus.

Votre
RAINER MARIA RILKE

Sonnet

Au travers de ma vie tremble sans une plainte,
sans un soupir, un mal sombre et profond.
Pure, la neige en fleurs de mes rêves
bénit les plus silencieux de mes jours.

Mais plus souvent la grande question
croise mon chemin. Je me fais petit et passe
indifférent devant elle comme devant un lac
dont je n'ose sonder les flots.

Puis alors s'abat sur moi une souffrance, aussi
morne que des nuits d'été sans clarté,
traversées par le scintillement d'une seule étoile –
                                    de temps à autre.

Mes mains quêtent alors timidement l'amour,
car j'aimerais tant que ma prière ait
des accents que ma bouche brûlante ne peut trouver.

(Franz Kappus)

Borgeby Gard, Flädie (Suède), le 12 août 1904

Je viens encore m'entretenir un moment avec vous,
cher monsieur Kappus, bien que n'ayant presque rien
à dire qui soit de quelque secours, d'une quelconque uti-
lité. Vous avez éprouvé de nombreuses et grandes
tristesses qui ont passé. Et vous dites que ce passage
éphémère, lui aussi, vous a été pénible et vous a contra-
rié. Mais, de grâce, réfléchissez : ces grandes tristesses ne
vous ont-elles pas plutôt transpercé ? Bien des choses ne
se sont-elles pas modifiées en vous, n'êtes-vous pas
devenu autre en quelque point, en quelque endroit de
votre être au moment où vous étiez triste ? Dangereuses
et mauvaises sont seules ces tristesses qu'on emporte au
milieu des gens pour les estomper ; elles ne font que
régresser pour, après un petit répit, se déclarer d'autant
plus effroyablement ; elles s'accumulent au-dedans et
sont une vie, une vie que l'on n'a pas vécue, que l'on a
méprisée et perdue et dont on peut mourir. Nous serait-
il possible de voir plus la vie que les limites de notre

savoir et encore un peu au-delà des bastions de notre intuition, peut-être alors supporterions-nous nos tristesses avec plus de confiance que nos joies. Car elles sont les instants où est entré en nous quelque chose de nouveau, quelque chose d'inconnu ; nos sentiments, timides et craintifs, font silence, tout en nous se retire, il naît un silence, et ce qui jusqu'alors était inconnu de tous, est là au beau milieu, silencieux.

Presque toutes nos tristesses sont, je crois, des moments de tension que nous ressentons comme une paralysie, car nous n'entendons plus vivre ces sentiments qui nous sont devenus étrangers. Car nous sommes seuls avec cet élément étranger entré en nous ; car nous a été provisoirement retiré tout ce qui nous était familier et habituel ; car nous nous trouvons au milieu d'un passage où nous ne pouvons nous arrêter. C'est pourquoi la tristesse passe, elle aussi : ce qui en nous est nouveau et est venu s'ajouter est entré dans notre cœur, a pénétré dans sa cavité la plus secrète et n'y est déjà plus – est déjà dans le sang. Et il ne nous sera pas révélé ce qui fut. On pourrait facilement croire qu'il ne s'est rien passé et pourtant nous nous sommes transformés comme se transforme une maison où est entré un hôte. Nous ne saurions dire qui est venu, nous ne le saurons peut-être jamais, mais bien des signes nous l'indiquent : c'est l'avenir qui de cette façon pénètre en nous pour s'intégrer à nous bien avant d'advenir. Et voilà pourquoi il est si important d'être solitaire et attentif quand on est triste : car l'instant où en apparence rien ne se passe ni n'évolue est celui où notre avenir pénètre en nous, bien plus proche de la vie que cet autre moment bruyant et fortuit où il nous advient comme du dehors. Plus dans nos tristesses nous sommes silencieux, patients et ouverts, plus ce qu'il y a de nouveau pénètre en nous profondément, infailliblement, mieux nous nous l'approprions, plus il sera « notre » destin ; quand plus tard il « adviendra » (c'est-à-dire, nous quittera pour aller aux autres), nous nous sentirons au plus profond de nous apparentés étroitement à lui. Et voilà qui est nécessaire. Il est nécessaire – et c'est dans cette voie que peu à peu nous évoluerons – que nous ne soyons affrontés à rien d'inconnu mais seulement à ce qui nous appartient depuis longtemps. Il a déjà fallu repenser tant de conceptions du mouvement, il va falloir aussi apprendre progressivement à comprendre que ce que nous appelons le destin, loin d'entrer de l'extérieur dans les hommes, sort de ceux-ci. C'est uniquement pour ne pas avoir absorbé leurs destinées tant qu'elles vivaient en eux et ne pas en avoir fait leur propre substance qu'ils n'ont pas compris ce qui sortait d'eux ; elles leur étaient si étrangères que, dans une confuse terreur, ils s'imaginaient qu'elles venaient forcément d'entrer tout juste en eux, car ils auraient juré de n'avoir jusqu'à ce jour jamais rien trouvé de semblable en eux-mêmes. De même qu'on s'est longtemps trompé sur le mouvement de l'avenir. Le futur est fixe, cher monsieur Kappus, tandis que nous, nous sommes en mouvement dans l'infini de l'espace.

Comment pourrions-nous ne pas éprouver de difficultés ?

Et pour en revenir à la solitude, il sera de plus en plus évident qu'elle n'est au fond rien que l'on puisse prendre ou laisser. Nous « sommes » solitaires. On peut se laisser abuser et faire comme s'il n'en allait pas ainsi. C'est tout. Mais comme il serait préférable d'admettre que nous sommes solitaires et partir tout bonnement de cette donnée. Nous sommes pris de vertige, cela se produira sans doute ; car tous les points familiers à nos yeux nous seront retirés, il n'y aura plus rien de proche, et tout lointain sera infiniment loin. Quiconque, presque sans préparation ni transition, serait transporté de sa chambre au sommet d'une haute montagne éprouverait semblable sensation : une insécurité sans pareille à se sentir livré à l'inexprimé risquerait de l'anéantir. Il s'imaginerait tomber ou croirait être projeté dans l'espace ou éclater en mille morceaux : quel monstrueux mensonge son cerveau ne devrait-il pas imaginer pour récupérer ses sens et y remettre de l'ordre. Ainsi, pour qui devient solitaire, toutes les distances, toutes les mesures changent ; beaucoup de ces changements surviennent brusquement et, comme chez cet homme au sommet de la montagne, naissent alors des représentations extraordinaires et des sensations fantastiques qui semblent dépasser le seuil du supportable. Mais il est nécessaire que nous vivions aussi « cela ». Il nous faut accepter notre existence aussi « vastement » que possible ; tout, même l'inouï, doit y être possible. C'est au fond le seul courage qui nous soit demandé : être courageux pour faire face à tout ce qui nous adviendra de plus bizarre, de plus étrange, de plus inexplicable. Que sur ce point les hommes aient été lâches a nui infiniment à la vie ; ces moments appelés « apparitions », tout le monde a dit « monde des esprits », la mort, toutes ces choses devenues parties de nous-mêmes, une défense quotidienne les a tant chassées de la vie que les sens qui nous permettraient de les appréhender se sont atrophiés. Sans parler de Dieu. Mais la peur de l'inexplicable n'a pas seulement appauvri l'existence de l'individu ; les relations d'homme à homme, elle les a aussi limitées et comme retirées du lit du fleuve des possibilités infinies pour les déposer sur un rivage en friche où rien n'advient. Car ce n'est pas seulement à la paresse que les rapports humains doivent de se répéter cas après cas avec une si indicible monotonie, et si invariablement, c'est aussi la crainte de faire quelque expérience nouvelle à l'issue incertaine qui risque de nous dépasser. Mais seul celui qui est prêt à tout affronter sans rien exclure, pas même l'énigme la plus extraordinaire, vivra sa relation à un autre comme dans une pièce plus ou moins grande, il apparaît que la plupart des gens ne découvrent qu'un coin de leur pièce, une place près de la fenêtre, un chemin qu'ils font de long en large. C'est leur manière de trouver une certaine sécurité. Et pourtant combien plus humaine est cette insécurité pleine de dangers qui dans les histoires de Poe pousse les prisonniers à explorer d'une main tâtonnante les contours de leurs cachots effrayants et à ne rien ignorer des terreurs indicibles de leur séjour. Mais nous ne sommes pas des prisonniers. Nulles trappes, nuls pièges ne nous environnent, il n'est rien qui puisse nous effrayer ou nous tourmenter. Nous avons été placés dans la vie comme dans l'élément qui nous convient le mieux, de plus une adaptation millénaire nous fait tellement ressembler à cette vie que si nous restons en repos et grâce à un heureux mimétisme on a peine à nous distinguer de tout ce qui nous entoure. Nous n'avons aucune raison de nous méfier de notre monde, car il ne nous est pas contraire. S'il s'y trouve des frayeurs, ce sont les « nôtres », s'il s'y trouve des abîmes, ces abîmes nous appartiennent, y a-t-il des dangers, il nous faut alors tenter de les aimer. Et si nous bâtissons notre vie selon le principe qui nous conseille de toujours nous en tenir à la difficulté, ce qui nous paraît maintenant encore absolument étranger deviendra pour nous absolument familier et absolument fidèle. Comment pourrions-nous oublier ces mythes antiques à l'origine de tous les peuples, ces mythes où des dragons, à l'ultime moment, se changent en princesses ; peut-être tous les dragons de notre vie sont-ils des princesses qui n'attendent que le moment de nous voir un jour beaux et courageux. Peut-être que toutes les choses qui font peur sont au fond des choses laissées sans secours qui attendent de nous le secours.

Aussi, cher monsieur Kappus, ne devriez-vous pas vous effrayer quand se lève devant vous une grande tristesse comme vous n'en avez vu de telle ; quand une inquiétude pareille à la lumière et à l'ombre des nuages passe sur vos mains et toutes vos actions. Pensez qu'il se produit quelque chose en vous, que la vie ne vous a pas oublié, qu'elle vous tient dans sa main ; elle ne vous abandonnera pas. Pourquoi voulez-vous exclure de votre vie toute inquiétude, toute souffrance, toute mélancolie alors que vous ignorez leur travail en vous ? Pourquoi vouloir vous torturer en vous demandant d'où tout cela peut bien venir et à quoi tout cela aboutira ? Vous savez bien que vous êtes dans des états transitoires et que vous ne désirez rien tant que de vous transformer. Si certains de vos états sont maladifs, considérez que la maladie est le moyen qu'a l'organisme pour se libérer de ce qui lui est étranger ; il faut alors simplement l'aider à être malade, à avoir sa maladie dans sa totalité, à la laisser se déclarer, car c'est par là qu'il progresse. En vous, cher monsieur Kappus, se passent en ce moment tant de choses ; soyez patient comme un malade et confiant comme un convalescent ; car vous êtes peut-être l'un et l'autre. Bien plus : vous êtes aussi le médecin qui doit veiller sur lui-même. Mais dans toute maladie il est tant de jours où le médecin ne peut qu'attendre. Et voilà ce qu'il vous faut faire avant tout pour autant que vous soyez votre médecin.

Ne vous observez pas trop. Ne tirez pas de conclusions trop hâtives de ce qui vous arrive ; laissez-vous faire tout simplement. Sinon vous seriez trop facilement amené à jeter un regard lourd de reproches (c'est-à-dire d'un point de vue moral) sur votre passé qui, bien entendu, est impliqué dans tout ce qui vous advient maintenant. Mais la part d'errements, de souhaits et de désirs liée à votre enfance et agissant en vous n'est pas celle que vous vous rappelez et condamnez. Les conditions extraordinaires d'une enfance solitaire et désemparée sont si difficiles, si compliquées, soumises à tant d'influences et en même temps détachées de toutes les conditions réelles de la vie que l'on ne doit pas, quand un vice y pénètre, se hâter de l'appeler vice. Il faut en général user des mots avec prudence ; c'est souvent sur le « nom » donné à un crime que se brise une vie et non pas sur l'acte anonyme et personnel qui a peut-être été une nécessité très particulière de cette vie et aurait pu sans peine y être admise. Et la dépense de vos forces ne vous paraît si grande que parce que vous surestimez votre victoire ; ce n'est pas elle la « grande chose » que vous estimez avoir accomplie, encore que vous ayez raison de le ressentir ainsi ; la grande chose, c'est que vous ayez pu remplacer ce leurre par quelque chose de sincère et de réel. Sans quoi votre victoire aussi n'aurait été qu'une réaction morale sans grande portée alors qu'elle est devenue ainsi une phase de votre vie. De votre vie, cher monsieur Kappus, à laquelle je pense en formant tant de vœux. Vous rappelez-vous combien cette vie a désiré sortir de l'enfance pour aller vers les « grandes personnes » ? Je vois maintenant combien elle désire quitter les grandes personnes pour en rejoindre d'encore plus grandes. Voilà pourquoi votre vie ne cesse pas d'être difficile, mais voilà pourquoi aussi elle ne cessera pas de grandir.

Et s'il me faut encore vous dire une chose, la voici : ne croyez pas que celui qui essaie de vous réconforter vive sans effort parmi les mots simples et sereins qui parfois vous font du bien.

Sa vie connaît tant de peines et de tristesses qui le laissent loin derrière elles. S'il en allait autrement, il n'aurait jamais pu trouver ces mots-là.

Votre
RAINER MARIA RILKE

Furuborg, Jonsered en Suède, le 4 novembre 1904

Cher monsieur Kappus,

Pendant tout ce temps où je vous ai laissé sans lettres, je me trouvais ou bien en voyage ou bien si occupé que je n'ai pas pu écrire. Et aujourd'hui encore écrire m'est difficile car il m'a fallu écrire tant de lettres que j'en ai la main fatiguée. Si je pouvais dicter, j'aurais bien des choses à vous dire, mais puisqu'il en est ainsi, acceptez ces quelques mots en réponse à votre longue lettre.

Je pense à vous, cher monsieur Kappus, souvent et en formulant si intensément tant de vœux pour vous qu'ils devraient vous être de quelque secours. Que mes lettres puissent être un réel secours, j'en doute souvent. Ne dites pas : mais si, elles le sont. Recevez-les telles qu'elles se présentent, sans trop de remerciements, et attendons la suite.

Il n'est peut-être pas utile que j'entre dans le détail de ce que vous écrivez ; car ce que je pourrai dire de votre tendance à douter ou de votre incapacité à mettre en harmonie vie extérieure et vie intérieure, ou bien de tout ce qui vous accable : c'est ce que j'ai toujours dit : toujours le vœu que vous puissiez trouver en vous suffisamment de simplicité pour croire ; que vous puissiez avoir de plus en plus confiance dans ce qui est difficile et dans votre solitude au milieu des autres. Et par ailleurs laissez faire la vie. Croyez-moi : la vie a raison, dans tous les cas. Et quant aux sentiments : sont purs tous les sentiments qui vous embrassent et vous élèvent ; est impur le sentiment qui ne touche qu'« une » partie de votre être et qui, ainsi, vous altère. Tout ce qui fait de vous « plus » que ce que vous étiez jusqu'ici à vos meilleurs moments est bien. Toute montée de l'exaltation est bonne, à condition qu'elle soit dans « tout » votre sang, à condition qu'elle ne soit pas ivresse ni brouillard mais joie dont on voit le fond. Comprenez-vous ce que je veux dire ? Et votre doute peut se transformer en qualité pour peu que vous « fassiez son éducation ». Il lui faut devenir « instrument de connaissance », il lui faut devenir critique. Demandez-lui, chaque fois qu'il veut abîmer quelque chose à vos yeux, « pourquoi » cette chose est laide, réclamez-lui des preuves, soumettez-le à un examen ; peut-être le trouverez-vous désemparé et embarrassé, peut-être aussi en révolte. Surtout, ne cédez pas, exigez des arguments, telle doit être chaque fois votre conduite, attentive et cohérente ; et le jour viendra où de destructeur qu'il était il deviendra l'un de vos meilleurs artisans, – peut-être le plus intelligent de tous ceux qui œuvrent à l'édification de votre vie.

C'est tout ce que je puis vous dire, cher monsieur Kappus, aujourd'hui. Mais je vous adresse en même temps un tirage à part d'un petit texte poétique qui vient de paraître dans la *Deutsche Arbeit* de Prague. Là, je continue à vous parler de la vie et de la mort et de ce que toutes deux ont de grand et de magnifique.

Votre
RAINER MARIA RILKE

Viareggio   Florence
près Pise   25
(Italie)   avril 1903.

... vous
dire ... 6 avril
m'... en m'au-
no... ...epté mon
li...

Je ... ...ercier aussi
de vos ... ma santé,
qui s'est ... ...tée ici; si
je ne me ... ...ore tout à fait
rétabli ... ...ablement à cause
du mauvais temps de ces dernières
semaines, dont j'ai souffert ici

Paris, le lendemain de Noël 1908

Sachez, cher monsieur Kappus, combien j'ai été heureux en recevant cette belle lettre de vous. Les nouvelles que vous me donnez, redevenues concrètes et exprimables, me semblent bonnes et plus j'y réfléchissais, plus j'ai eu le sentiment qu'elles étaient réellement bonnes. C'est en fait ce que je voulais vous écrire pour la veille de Noël ; mais les travaux variés et ininterrompus dans lesquels j'ai été plongé tout cet hiver ont fait si vite arriver cette vieille fête que j'ai eu à peine le temps de faire les préparatifs les plus indispensables, encore moins d'écrire.

Mais j'ai souvent pensé à vous en ces jours de fête, me représentant combien vous deviez être au calme dans votre fort solitaire entre les montagnes nues sur lesquelles se précipitent ces grands vents du sud comme pour n'en faire qu'une bouchée.

N'est-il pas absolu le silence où de tels bruits et de tels mouvements se donnent libre cours dans l'espace et quand on pense que s'y ajoutent encore les rumeurs de la mer présente dans le lointain – elles sont peut-être le son le plus intime de cette harmonie des débuts du monde –, on ne peut que vous souhaiter de laisser avec confiance et patience œuvrer en vous cette grandiose solitude, impossible désormais à rayer de votre vie ; influence anonyme, ininterrompue et discrètement déterminante, elle agira dans tout ce que vous allez vivre et entreprendre, assez semblable au sang de nos ancêtres qui coule sans cesse en nous et se mêle au nôtre pour former l'être unique, inimitable que nous sommes à chaque tournant de notre vie.

Oui, je me réjouis de vous savoir mener cette existence stable, estimable, avec ce grade, cet uniforme, ce service, tout ce que cela a de tangible et de délimité ; dans ce cadre, votre existence au contact d'une troupe également isolée et peu nombreuse, se charge de sérieux et de nécessité, au-delà de ce que le métier militaire comporte de jeu et de passe-temps, elle s'emploie à être vigilante, non seulement elle permet de se livrer à une observation indépendante, mais encore elle en fait l'éducation. Et être dans des conditions qui œuvrent en nous, qui, de temps en temps, nous placent devant de grandes choses naturelles, voilà tout ce qu'il nous faut.

L'art, lui aussi, n'est qu'une façon de vivre et nous pouvons, sans le savoir, nous y préparer, quelle que soit notre vie ; dans tout ce qui relève du réel, on est plus proches et plus voisins que dans les professions semi-artistiques éloignées du réel ; en donnant l'illusion d'être proches de l'art, elles nient et attaquent en réalité l'existence de tout art, comme le fait le journalisme tout entier ainsi que presque toute la critique et les trois quarts de ce qui se dit littérature et prétend l'être. En un mot, je me réjouis que vous ayez réussi à ne pas tomber dans ce piège et que vous soyez quelque part au contact d'une rude réalité, solitaire et courageuse. Puisse l'année à venir vous y garder et vous y fortifier.

Toujours votre
RAINER MARIA RILKE

Rilke ou l'extase contenue

À l'automne 1902, un jeune homme que l'on destine à la carrière militaire mais qui sent poindre en son cœur le « pouvoir immense et enfantin [1] » de la poésie, rencontre par hasard un certain Horaček, l'aumônier du prytanée de Sankt-Pölten. Ce dernier se souvient de René Rilke, qui y avait été son élève en 1887 et que ses premières œuvres publiées commencent à faire connaître. Franz Xaver Kappus s'enhardit donc à écrire à l'auteur du *Livre d'images* et des *Histoires du bon Dieu*. La réponse lui parvient en février 1903 : c'est la première des dix *Lettres au jeune poète*, qui s'échelonneront jusqu'à Noël 1908, et restent l'un des textes les plus célèbres et les plus appréciés de Rilke. À juste titre : si la démarche rappelle les *Conseils aux jeunes littérateurs* de Baudelaire et semble annoncer les *Trois Lettres à un adolescent* de Lou Andreas-Salomé, les *Conseils à un jeune poète* de Max Jacob, la *Lettre à un jeune artiste* de Hermann Hesse, les *Conseils au jeune écrivain* d'André Gide ou la *Lettre à un jeune catholique* d'Heinrich Böll, les lettres de Rilke se signalent par une qualité toute particulière du ton, une intimité chaleureuse qui n'exclut ni le scrupule ni la rigueur. Une lucidité de philosophe y épouse sans cesse étroitement la sensibilité du poète. C'est que la correspondance est le mode d'écriture rilkéen par excellence, comme en témoignent les cinq volumes publiés après la mort de l'écrivain. Éternel voyageur, cet Autrichien qui passa son enfance à Prague, fit du français sa seconde langue d'expression et trouva en Suisse une patrie d'élection, correspondit souvent avec des inconnus, telle « Benvenuta » (Magda von Hattingberg), cette admiratrice qu'il ne rencontra pas davantage que Franz Kappus. Pour Rilke, qui ne trouve jamais le réel « qu'au prix de la solitude[2] », la lettre est une respiration indispensable, l'espace où se nouent les liens avec le monde et ses semblables, sans que soit menacé le recueillement quasi monastique qu'il s'est imposé : sa vie – écriture, amours, amitiés – ne fut que correspondance.

Rien d'étonnant, donc, si les *Lettres à un jeune poète* sont d'abord un éloge de la vie solitaire (« Il n'est qu'une seule voie. Entrez en vous-même…[3] »), une mise en garde contre la dissipation des forces vers l'extérieur, le divertissement au sens pascalien : rien ne serait pire pour son jeune correspondant que de s'en tenir à la « surface de la vie », recouverte depuis si longtemps « d'une étoffe indiciblement ennuyeuse, qui la fait ressembler à des meubles de salon pendant les vacances d'été[4] ». Il connaîtrait l'échec d'Orphée qui, avant même le geste étourdi par lequel il va perdre Eurydice, manifeste « son impatient regard » :

« Sans le mâcher, son pas dévorait à bouchées énormes le chemin…[5] »

Loin de se précipiter, le poète doit rester longtemps

aux enfers, laisser mûrir « chaque impression, chaque germe de sentiment […], dans l'obscur, dans l'indicible, l'inconscient, le domaine inaccessible à votre propre intelligence [6] ». Rien de plus fatal que l'impatience : « Des vers signifient si peu de chose quand on les écrit jeune ! On devrait attendre et butiner toute sa vie durant […]. Car les vers ne sont pas, comme certains croient, des sentiments […], ce sont des expériences [7] ». La maturation est l'un des maîtres mots de la philosophie et de l'esthétique rilkéennes : « Jeune homme […] en qui monte je ne sais quoi qui te fait frémir, profite de ton obscurité [8] ». L'œuvre naît d'une sève longtemps accumulée. De fait, Rilke compose souvent d'un trait, en brusques poussées de fièvre créatrice : *Le Chant de l'amour et de la mort du cornette Christophe Rilke* a été écrit en une seule nuit, les treize *Histoires du bon Dieu* en une semaine, et *Les Sonnets à Orphée* le seront en quelques jours.

Non seulement il ne faut s'inquiéter ni des échecs [9] ni de la tristesse, mais il faut en rechercher l'amertume féconde : « Bien des signes nous l'indiquent : c'est l'avenir qui de cette façon pénètre en nous pour s'intégrer à nous bien avant d'advenir [10] ». Ainsi « tout ce qui arrive est un commencement [11] ».

Quant au désir de renommée, Rilke le pressent déjà, pas de pire ennemi pour le poète que la gloire, « cette démolition publique d'un qui devient et dans le chantier duquel la foule fait irruption en déplaçant les pierres ». C'est la formule qu'il emploiera dans *Les Cahiers de Malte Laurids Brigge* [12], dont l'écriture, justement, commence en février 1904, au moment des premières lettres à Franz Kappus : texte fondamental puisqu'il choisit d'y affronter l'angoisse, la « quasi-impossibilité de vivre [13] » tôt ressentie par le cadet de Sankt-Pölten et de Mährisch-Weisskirchen. Angoisse qui étreint à nouveau le jeune poète autrichien[14] au moment où, ayant quitté sa femme et sa petite fille, il vient vivre à Paris, « une grande ville étrangère, très, très étrangère » pour lui, où se côtoient « des régiments de malades, des armées de mourants, des peuples de morts [15] ». Rilke y redoute par-dessus tout l'anonymat[16] et la mort d'emprunt, « la mort en masse, mort en série et de confection [17] ». L'épisode célèbre de l'agonie du chambellan, sur lequel s'ouvrent les *Cahiers*[18], manifeste la « dignité singulière », la « silencieuse fierté » que procure une mort assumée, de longtemps préparée et mûrie : la même acceptation sera au cœur du *Livre d'heures*[19] et des *Sonnets à Orphée*, et Rilke en affirmera encore la nécessité à la fin de sa vie, dans la lettre célèbre au traducteur polonais des *Élégies de Duino* : « L'affirmation de la vie et celle de la mort se révèlent ne faire qu'un [...]. Notre existence [...] est chez elle dans les deux domaines illimités, par l'un et l'autre inépuisablement nourrie [20] ».

Ainsi le lyrisme de Rilke prend-il sa source dans une souffrance assumée :
« La plainte seule apprend encore, et sur ses doigts d'enfant, compte à longueur de nuits l'ancienne peine.[21] »

Loin de toute complaisance morbide, la tristesse « est un flot [22] » qui fait sauter les barrages du « dehors » et du « dedans », qui plonge le poète dans l'espace intérieur du monde (*Weltinnenraum*).

> « Où est, pour cet intérieur,
> un palpable contour ? Sur quelle douleur
> pose-t-on cette gaze ?
> Quels ciels se reflètent
> dans le lac intérieur
> de ces roses écloses,
> insouciantes, vois :
> comment elles reposent
> dans le délié des choses. [23] »

Submergé par l'infini « avec une telle intimité qu'il put croire sentir dans sa poitrine le poids léger des étoiles qui venaient de se lever [24] », Rilke saura retrouver l'innocence de l'enfance, cette « fidélité sans nom des Célestes », qui « garde le cœur intemporel [25] ». Grâce aux « complices de l'enthousiasme » – « des bruits ou des cloches qui se taisent, ou des chants d'oiseaux étrangement neufs dans le bois négligé [26] », – se trouve restaurée l'union avec une nature bienveillante : « Nous n'avons aucune raison de nous méfier de notre monde, car il ne nous est pas contraire. S'il s'y trouvent des frayeurs, ce sont les "nôtres" [27] ».

Ce « plaisir infini tiré de tout le sensible [28] » éloigne le poète du christianisme, dont il dénonce le « zèle à dégrader l'ici-bas. [...] Quelle folie que de nous détourner vers un au-delà, alors qu'ici nous sommes pressés de tâches, d'attentes, d'avenirs ». Cette citation est extraite de la *Lettre du jeune travailleur* [29], écrite en février 1922, dans laquelle Rilke donne un correspondant imaginaire à

Émile Verhaeren ; il y condamne en particulier l'opprobre que le catholicisme fait peser sur le désir et la volupté charnelle : « Pourquoi nous a-t-on rendu notre sexe apatride au lieu d'y transférer la fête de nos pouvoirs intimes ? [...] Autrefois nous étions *partout* enfant, maintenant nous ne le sommes plus qu'en un endroit. » C'est pourquoi l'art de Rilke vise à « la transformation intégrale [du monde] en splendeur [30] », s'attache à célébrer et à glorifier, à « faire de la parole une pure consumation rayonnante [31] ». Le poète, tels les ascètes et les saints, doit se mettre au service des choses et des êtres : « Pas plus qu'un choix ne lui est permis, il n'est loisible au créateur de se détourner d'aucune existence », écrit Rilke à Clara à propos de Cézanne et Baudelaire [32] : aucun sujet, si aride (les falaises de Sainte-Victoire) ou repoussant (une charogne) soit-il, ne doit être repoussé par l'art, « l'acte le plus humble de servir », qui obéit à cette « silencieuse et croissante réalisation du désir d'être qui dans la nature monte à partir de toutes choses [33] ». « Ton œuvre, dit le narrateur des *Cahiers* à un jeune homme inconnu, [est vouée] à découvrir parmi les choses visibles les équivalents de tes visions intérieures [34] ». Mais cette découverte représente moins un objectif esthétique qu'une nécessité morale, une sorte de mission salvatrice : « Peut-être que toutes les choses qui font peur sont au fond des choses laissées sans secours qui attendent que nous les secourions [35] ».

Deux paraboles illustrent cette haute fonction donnée par Rilke à son art. Embarqué sur le Nil près de l'île de Philæ, il voit dans le chanteur qui rythme la cadence des rameurs le symbole même du poète : « Tandis que son entourage ne cessait de s'en prendre à l'immédiat et au palpable, et de le surmonter, sa voix entretenait le rapport avec ce qu'il y avait de plus lointain et nous y accrochait jusqu'à ce que nous fussions entraînés [36] ». La seconde est plus étrange encore : comparant la « suture sagittale » du crâne humain à un sillon gravé, il rêve qu'une aiguille de gramophone puisse lire « cette rumeur des âges qui serait ainsi mise au monde » ; « l'extase contenue » du poète, grâce à l'usage simultané de tous les sens – et non de la seule vision –, le porterait alors « d'un seul bond et d'une haleine à travers les cinq jardins [37] ».

JÉRÔME VÉRAIN

1. Rilke, *Sur le jeune poète*.
2. *Cahiers de Malte Laurids Brigge*, Seuil, Prose, p. 595.
3. Lettre I.
4. *Cahiers*, Prose, p. 562.
5. « Orphée. Eurydice. Hermès. », *Nouveaux Poèmes I*, Seuil, Poésie, p. 214.
6. Lettre III.
7. *Cahiers*, Seuil, Prose, p. 559.
8. *Cahiers*, Seuil, Prose, p. 600.
9. « … aux cassures / de nos échecs brille un commencement », poème d'octobre 1925.
10. Lettre VIII.
11. Lettre VI.`
12. Seuil, Prose, p. 599.
13. Lettre à la princesse von Thurn und Taxis, 24 février 1915.
14. Rilke, qui n'a pas vingt-huit ans quand il écrit pour la première fois à Franz Kappus, n'est guère plus vieux que son correspondant.

15. Lettre à Clara Westhoff, 31 août 1902.

16. « Comme on cueille des fleurs pour en faire un bouquet : /le hasard à la hâte ordonne les visages. » « Le Groupe », Paris, *Nouveaux Poèmes II*, Seuil, Poésie, p. 257.

17. Maurice Blanchot, *L'Espace littéraire*, « Rilke et l'exigence de la mort », Gallimard, Folio, p. 156.

18. *Cahiers*, Seuil, Prose, p. 553 et suivantes.

19. « Car nous ne sommes que l'écorce et que la feuille. / La grande mort que tout homme en soi porte, / tel est le fruit autour duquel gravite tout. » *Le Livre de la pauvreté et de la mort*, Seuil, Poésie, p. 115.

20. Lettre à Witold Hulewicz, 13 novembre 1925.

21. *Sonnets à Orphée II*, Seuil, Poésie, p. 383.

22. Lettre VIII.

23. « L'intérieur de la rose », *Nouveaux Poèmes II*, Seuil, Poésie , p. 282.

24. *Aventure II*, Seuil, Prose, p. 299.

25. Poème écrit en 1920, Seuil, Poésie, p. 435.

26. *Sur le jeune poète*.

27. Lettre VIII.

28. Lettre à Ilse Jahr, 22 février 1923.

29. Seuil, Prose, p. 255 et suivantes.

30. Lettre au baron Uexhüll, 19 août 1909.

31. Maurice Blanchot, *op. cit.*, p. 208.

32. Lettre du 19 octobre 1907.

33. Lettre à Lou Andreas-Salomé, 8 août 1903.

34. Seuil, Prose, p. 601.

35. Lettre VIII.

36. *Sur le poète*, écrit en 1912, Seuil, Prose, p. 355.

37. *Rumeur des âges*, écrit à Soglio, Suisse, en 1919. Seuil, Prose, p. 303.

Vie de Rainer Maria Rilke

4 décembre 1875. Naissance à Prague de René Maria Cæsar Rilke, fils de Joseph Rilke, ancien militaire autrichien devenu employé des chemins de fer, et de Sofia Rilke, née Enz, fille de commerçants. Dévote et mondaine, celle-ci prétend descendre d'une famille de vieille noblesse carinthienne, légende que Rilke reprendra à son compte.

1882-1884. Le jeune Rilke est (bon) élève de l'école des Piaristes, à Prague.

1883. Les parents de Rilke se séparent.

1885-1890. Rilke est cadet au Prytanée militaire de Sankt-Pölten, en Autriche.

1890-1891. Rilke est pensionnaire de l'École militaire supérieure de Mährisch-Weisskirchen, établissement qui inspira à Robert Musil *Les Désarrois de l'élève Törless*.

1891. Renvoyé en juillet du « bagne » en raison de son inaptitude physique, Rilke entreprend des études de commerce à la Handels Akademie de Linz.

1892. Printemps : retour à Prague, pour des études de droit.

1895. Baccalauréat en juin; août : inscription à l'université Karl-Ferdinand, pour des études de philosophie. Journaliste à *Jung-Deutschland* et *Jung-Österreich*, rédacteur en chef de *Wegwarten*, Rilke participe activement à la vie littéraire pragoise. Il écrit des drames naturalistes, des nouvelles (*Au fil de la vie*, 1898), des poésies lyriques (*Offrande aux lares*, 1895; *Couronné de rêve*, 1896) et des essais critiques.

1896-1897. Rilke séjourne à Munich et continue son travail d'écriture (*Avent*, 1897; *Pour me fêter*, 1899; *Deux histoires pragoises*, 1899). En mai 1897, il rencontre Lou Salomé, qu'avait aimée Nietzsche et qui deviendra la collaboratrice de Freud. Elle est l'épouse de l'orientaliste Andreas. Durant l'hiver 1897, Rilke s'installe à Berlin, près des Andreas.

1898. Séjours en Italie : Florence, Viareggio (près de Pise).

1899. Premier voyage de Rilke en Russie, avec Lou Andreas-Salomé et son mari. Ils sont reçus par Tolstoï. Rilke écrit *Le Livre d'images* (publié en 1902, seconde version en 1906), *Histoires du bon Dieu* (1900), *Le Livre de la vie monastique* (première partie du *Livre d'heures*, publié en 1905), *La Chanson de l'amour et de la mort du cornette Christophe Rilke* (1904).

1900. Second voyage en Russie. Au retour, l'amour de Rilke et de Lou se mue en une amitié paisible. L'auteur change de prénom et devient Rainer Maria Rilke. Séjour à Worpswede, près de Brême, dans une colonie de peintres et de sculpteurs où Rilke rencontre Paula Becker et Clara Westhoff, une élève de Rodin. Il épouse celle-ci en mars 1901. Rilke écrit *Le Livre du pèlerinage* (deuxième partie du *Livre d'heures*).

1902. Rilke écrit *Worpswede* (publié en 1903). Après la naissance de Ruth (décembre 1901), le couple Rilke se sépare à l'amiable. L'auteur se rend à Paris en août pour entreprendre une étude sur Rodin, sur les conseils de Clara.

1903-1904. Rilke écrit *Le Livre de la pauvreté et de la mort* (troisième et dernière partie du *Livre d'heures*). Il se partage entre Paris, Viareggio, Worpswede, Rome, le Danemark et la Suède. Il compose les *Nouveaux Poèmes* (deux livres publiés en 1907 et 1908) et commence à Rome, en février 1904, la rédaction des *Cahiers de Malte Laurids Brigge*. Ils ne seront achevés et publiés qu'en 1910, à Leipzig, grâce à l'éditeur Anton Kippenberg.

1905-1906. Rilke est secrétaire de Rodin, avec lequel il finit par se brouiller (*Rodin*, 1903-1907).

1907-1914. L'auteur voyage sans cesse : plus de cinquante résidences différentes, de Capri à Paris, de la Provence à la Belgique et à l'Allemagne, de l'Afrique du Nord et de l'Égypte à Duino, le château de la princesse Marie von Thurn und Taxis situé sur la côte Adriatique (près de Trieste), de Venise à l'Espagne. Sa production est intense, malgré la dépression qui suit l'achèvement des *Cahiers*. Rilke se consacre désormais presque exclusivement à la poésie : premières *Élégies*, *Requiem* (1909), *La Vie de Marie* (1913). Il n'écrit plus, en prose, que de courts textes : *Sur le poète*, *Aventure I* et *II*, *Sur le jeune poète*.

1914-1918. Rilke projetait de s'installer à Paris, où il avait acquis une petite maison. La déclaration de guerre le surprend à Leipzig. Il se rend à Munich, puis à Vienne où il est mobilisé dans l'infanterie (janvier 1915). Très vite, il est affecté au ministère de la Guerre, puis démobilisé. Séjours à Berlin et Rodaun (Autriche), chez Hugo von Hofmannstahl. Il écrit peu (la quatrième *Élégie*).

1919-1921. Rilke quitte l'Allemagne pour la Suisse. Il y écrit *Rumeur des âges*. Il voyage (1920) dans le Valais avec « Merline », Baladine Klossowska (la mère du peintre Balthus et de Pierre Klossowski), rencontrée à Genève fin 1919. Après un séjour au château de Bergam Irchel, près de Zürich, où il compose les *Poèmes posthumes du comte C. W.*, il s'installe durant l'été 1921 dans le petit manoir de Muzot, près de Sierre, qu'a acquis à son intention l'industriel Werner Reinhardt.

1922. En un seul mois (février), Rilke achève les *Élégies de Duino* et compose *Les Sonnets à Orphée*. Les deux recueils seront publiés l'année suivante.

1923-1926. Rilke séjourne le plus souvent à Muzot. Sa santé de plus en plus déficiente l'oblige à des cures fréquentes à la clinique de Val-Mont. Il traduit Paul Valéry (*Charmes*, *Fragments d'un Narcisse*) et compose des recueils en français (*Vergers*, 1926 ; *Quatrains valaisans*, 1926 ; *Les Fenêtres*, *Les Roses*, publiés en 1927) en vue, dit-il, de demander la nationalité suisse. Il écrit cependant ses derniers poèmes en allemand (*Spät gedichte*, publiés en 1934).

29 décembre 1926. Rilke est emporté par une leucémie à Val-Mont. Il est inhumé à Raron, dans le Valais.

1927. Première publication de ses *Œuvres complètes* à Leipzig.

1939. Publication de cinq volumes de correspondance à Leipzig.

1955-1966. Publication des six volumes de *Sämtliche Werke*, sous la direction d'Ernst Zinn et Ruth Sieber-Rilke.

Repères bibliographiques

Œuvres traduites en français
- *Œuvres*, 3 volumes (Prose, Poésie, Correspondance), Seuil, 1972-1976
- *Le Testament*, Seuil, 1983.
- *Histoires pragoises*, Points, Seuil, 1984.
- *Le Livre de la pauvreté et de la mort*, Actes Sud, 1989.
- *Les Élégies de Duino, Les Sonnets à Orphée*, trad. et commentaire J.-F. Angelloz, Bilingue, Flammarion, 1992.
- *La Princesse blanche*, Zoé, 1992.
- *Le Chant de l'amour et de la mort du cornette Christophe Rilke*, Casterman, 1994.
- *Requiem*, Fata Morgana, 1996.
- *Les Cahiers de Malte Laurids Brigge*, Seuil, 1996.
- *Histoires du bon Dieu*, Seuil, 1996.

Œuvres écrites en français
- *Vergers*, Gallimard, Poésie, 1988.

Correspondance traduite ou écrite en français
- Rilke, Pasternak, Tsvétaëva, *Correspondance à trois*, Gallimard, 1983.
- *Lettres françaises à Merline*, Seuil, 1984.
- *Rainer Maria Rilke – Lou Andreas-Salomé, Correspondance*, Gallimard, 1985.

- *Correspondance avec Marie von Thurn und Taxis*, Albin Michel, 1988.
- *Lettres sur Cézanne*, Seuil 1995.
- *Lettres à un jeune poète*, Grasset, 1996.
- Le volume III, *Correspondance* des *Œuvres*, au Seuil renferme
  236 lettres. Les traductions sont de B. Briod, Ph. Jaccottet,
  P. Klossowski. *Les Lettres à un jeune poète* se trouvent dans le volume I
  de cette édition.

Études sur Rilke

- BLANCHOT (Maurice), *L'Espace littéraire*, Gallimard, 1988.
- JACCOTTET (Philippe), *Rilke*, Écrivains de toujours, Seuil, 1976.
- POULET (Georges), *Études sur le temps humain*, Pocket, 1989.

Mille et une nuits propose des chefs-d'œuvre pour le temps d'une attente, d'un voyage, d'une insomnie…

Dernières parutions

La Petite Collection : 184. Aziz CHOUAKI, *Les Oranges.* 185. ÉPICURE, *Lettre sur l'univers.* 186. Franz KAFKA, *Le Terrier.* 187. Arthur CONAN DOYLE, *Le Visage jaune.* 188. François VILLON, *Ballades en argot homosexuel.* 189. VOLTAIRE, *Candide ou l'optimisme.* 190. Nicolas GOGOL, *Le Nez.* 191. Arthur SCHOPENHAUER, *L'Art d'avoir toujours raison.* 192. CASANOVA, *Le Duel.* 193. Gustave FLAUBERT, *Mémoires d'un fou.* 194. Jonathan SWIFT, *Instructions aux domestiques.* 195. OVIDE, *L'Art d'aimer.* 196. BOSSUET, *Sermon sur l'ambition.* 197. MAÏAKOVSKI, *Le nuage en pantalon.* 198. Karl KRAUS, *Aphorismes.* 199. *La Genèse.* 201 CYRANO DE BERGERAC, *L'Autre Monde ou les États et Empires de la lune.* 202. Marcel PROUST, *Les Plaisirs et les jours.* 203. Virginia WOOLF, *À John Lehmann. Lettre à un jeune poète.* 204. Rudyard KIPLING, *Tu seras un homme mon fils* suivi de *Lettres à son fils.* 205. Anthony Burgess/Isaac Bashevis Singer, *Rencontre au sommet.* Coédition ARTE Éditions. 206. LOCKE, *Lettre sur le tolérance.* 207. Charles BAUDELAIRE, *Les Paradis artificiels.* 208. Viktor PELEVINE, *Omon Ra.*

Les Petits Libres : 15. Pierre-André TAGUIEFF, *La Couleur et le sang. Doctrines racistes à la française.* 16. Gérard GUICHETEAU, *Papon Maurice ou la continuité de l'État.* 17. Guy KONOPNICKI, *Manuel de survie au Front.* 18. Marc PERELMAN, *Le Stade barbare. La Fureur du spectacle sportif.* 19. Toni NEGRI. *Exil.* 20. François DE BERNARD, *L'Emblème démocratique.* 21. Valérie SOLANAS, *SCUM Manifesto.* 22. Shigenobu GONZALVEZ, *Guy Debord ou la beauté du négatif.* 23. Serge MOATI/Ruth ZYLBERMAN, *Le Septième Jour d'Israël… Un kibboutz en Galilée ;* en coédition avec ARTE Éditions.

Éditions Mille et une nuits 94, rue Lafayette 75010 Paris
e-mail : info@1001nuits.com

Achevé d'imprimer en avril 1998,
sur papier recyclé Ricarta-Pigna par G. Canale & C. SpA (Turin, Italie)